世界
为谁
存在？

世界
为谁
存在？

［英］汤姆·波尔/文

［澳大利亚］罗伯·英潘/图

刘清彦/译

HUBEI CHILDREN'S PRESS
湖北少年儿童出版社

世界为谁存在？

熊宝宝问妈妈。
她钻出冬眠的洞口，
挨近妈妈毛绒绒的肚子。

呃，看看你的四周，妈妈回答。
这个世界有那么多又深又黑的洞穴，
为你遮风避雨，
那么多在阳光下闪闪发亮的溪流，
鱼儿在悠游，
每一座森林，不管多么辽阔，
你永远也不会迷路走错。

世界为你存在！

世界为谁存在？

狮子宝宝问爸爸。
他们沐浴在阳光里，
闻着干热的空气。

呃，看看你的四周，爸爸回答。
这个世界有那么多绿油油的草原，让你奔跑跳跃，
每一只斑马、羚羊与大象，帮助你茁壮成长，
每一块平滑耸立的岩石，让你享受阳光。
你应该相信，

世界为你存在！

世界为谁存在？

河马宝宝问妈妈。
他们在水中紧紧相依，
背就像浮出水面的踏脚石。

呃，看看你的四周，妈妈呵呵地笑着。
这个世界有那么多宽阔平缓的河流，
让你轻盈地跳舞；
那么多深潭泥塘，让你快乐地打滚，
在中午灼热的太阳下，你会觉得清凉舒爽，
就连优雅的羚羊也会前来开怀畅饮。

世界为你存在！

世界为谁存在？

鲸鱼宝宝问妈妈。
她们并肩游泳，
就像小拖船依偎着大邮轮的身影。

呃，看看你的四周，
妈妈轻声地回答。
这个世界有那么广阔深邃的海洋，
让你自由地旅行，
数不尽的鱼儿，为你开道前进，
茂盛的水草，
闪亮的波光和海潮的声音，
都在清楚地对你说——

世界为你存在！

世界为谁存在？

雪兔宝宝问爸爸。
他们舒服地窝在暖和的地洞中，
外面遍地银白，冷风飕飕。

呃，看看你的四周，爸爸回答。
世界上的冰雪会将你隐藏，
冰层下的小绿芽把你喂养，
每一天，你都可以迈步跳跃
在冰冷的雪地上。因为，

这个银白色的世界
为你存在！

世界为谁存在？

猫头鹰宝宝问妈妈。
他靠着妈妈的翅膀，
一起坐在松树的枝头上。

呃，看看你的四周，妈妈回答。
这个世界有那么多高大青葱的树木，让你停靠鸣叫；
那么多栅栏支柱，让你休息睡觉；
皎洁的月光照亮夜空，帮助你精准地向地面上的猎物俯冲。
亲爱的孩子，世界像一棵大树，

世界为你存在！

世界为谁存在？

小男孩问爸爸。
他们裹着皱巴巴的毛毯，窝在床上。
呃，爸爸回答，世界非常大。

星空下的某个地方——
很遥远的地方——在寒冷的山岭旁，
熊宝宝和妈妈一起蜷缩在漆黑温暖的山洞里；
狮子宝宝跟着爸爸，昂首阔步在尘土飞扬的草原上；
雪兔宝宝和爸爸在冰层下的秘密地洞里打盹儿；
　　　　　　　离家近一点儿，近一点儿，再近一点儿——

仔细听！
猫头鹰正在暗沉绿阴的枝桠间，
轻声地对她的小宝宝鸣唱。

世界为了这
所有的一切存在。

小男孩靠在爸爸身旁，
凝视着布满星光的夜空。

世界也为人们存在吗？
包括你和我在内？他问。

一点儿都没错，爸爸回答，
世界也为人们存在，
不管是住在什么地方的人，
世界为每个人存在！

而我的世界在这里——和你在一起。
我们的世界有公园，
让你嬉戏玩耍，
有山丘，让你向上攀爬，
有溪流，让你涉水而过，
也有古堡和海滨，
让你尽情探索。

虽然我们已经亲眼见过许多许多，
但还有更多更多的事物
等着我们去看去做。

世界为谁存在？

世界为你存在！

图书在版编目(CIP)数据

世界为谁存在？ ./[英]汤姆·波尔文；[澳大利亚]罗伯·英潘图；刘清彦译. —武汉：湖北少年儿童出版社，2009.5
（海豚绘本花园系列）
ISBN 978-7-5353-4534-9

Ⅰ.世… Ⅱ.①汤…②罗…③刘… Ⅲ.图画故事—英国—现代 Ⅳ.I561.85

中国版本图书馆CIP数据核字(2009)第062517号
著作权合同登记号：图字17-2008-103

世界为谁存在？

[英]汤姆·波尔 / 文　[澳大利亚]罗伯·英潘 / 图
刘清彦 / 译
责任编辑 / 毕　娜　刘梦霞
美术编辑 / 鲁　静
装帧设计 / 付莉萍
出版发行 / 湖北少年儿童出版社
经销 / 全国新华书店
印刷 / 凸版印刷（深圳）有限公司
开本 / 787×1092　1/12　3印张
版次 / 2009年5月第1版第1次印刷
书号 / ISBN 978-7-5353-4534-9
定价 / 26.00元

WHO IS THE WORLD FOR?

策划 / 海豚传媒股份有限公司　　网址 / www.dolphinmedia.cn　　邮箱 / dolphinmedia@vip.163.com　　咨询热线 / 027-87398305　　销售热线 / 027-87396822
海豚传媒常年法律顾问 / 湖北立丰律师事务所　王清博士　邮箱 / wangq007_65@sina.com

汤姆·波尔（Tom Pow）

　　1950年生于爱丁堡，任教于苏格兰的邓佛里斯学院。47岁那年波尔到非洲旅行，在
旅途中他突然非常想念远在英国的两个孩子，他想要为他们写一个故事。这位父亲站在非洲的大地
上，举目所见映入眼里的景象，就是那些在草原上奔驰、在林间跃动、在水中栖息，和他同样有着生命气息
的虫鱼鸟兽们。这让他不禁发出这样的感叹："世界为谁存在？"想到与他一起共享天地的动物们，让这本书除了有
着身为父亲对孩子的亲情爱恋外，同时有着更多对自然界的尊崇。他的两本诗集均获得苏格兰艺术协会的最佳图书奖，现与妻
儿一同居住在苏格兰。

罗伯·英潘（Robert Ingpen）

　　罗伯·英潘是一位艺术家，同时也是一位作家。1936年出生在澳洲，毕业于矶隆学院，而后在"墨尔本皇家科技大学"学艺术。

　　他1958年成为"联邦科学与工业研究机构"第一位插画家兼平面设计。1968年，他开始了自由创作的生涯，写故事、画插画，累积了超过90本
以上的出版品，创作的主题同时跨越多种领域，从儿童书、幻想故事、历史、环保、科学，到维护自然和人类文化遗产等等。

　　1986年，他得到有"儿童绘本插画的诺贝尔奖"之称的"国际安徒生插画奖"，肯定他在儿童插画上的努力与成就；他也是首位赢得该奖的澳洲
插画家。1989年，他获得颇有威信的"Dromkeen Medal"奖，肯定了他对儿童文学的贡献。

很大一个哲学

梅子涵（著名儿童文学作家、教授）

我们每天都活着。

我们也许都已经活得很久了。

可是我们好像的确都没有想过，我们活着的这个世界，它们是为我存在的！

我们没有那样豪迈：太阳为我照耀。

我们没有那么浪漫：鸟儿在唱给我听。

那很大很大的林子怎么是为我生长？

那像童话的漂亮房子里不是住着别的人吗？

可是现在我们突然全知道，它们都是为我而存在！

这可真是让我们听见了一个大哲学。

它十分信服地让我们确认了，一个生命正是具备这般的大拥有的。一个诗意的人正是心怀这样的大热情的。这样的豪迈着，就这样地捧起非常多的幸福了。这么一个渺小的人，这么短促的一生，就很丰富很丰富了，一年四季都有大尽情。

这的确是一个大哲学。

所以我们不可以世俗和日常地注解。

童话的漂亮房子里别人住着，可是童话般的漂亮已经在我的眼睛里，而且可以在我的炫耀里。炫耀我们这个城市和乡间，炫耀我的国家，炫耀这个世界和生活。

那很大很大的林子是我满眼的绿，是氧气和给予我的最放心的呼吸，也是长蘑菇的地方，我如果躺下，还可以听见无数种子生长的声音……

我们这样知道了，世界就如同是我家的楼房，朝南的花园。我们就居住得信心十足，连一块砖都不舍得留下损害的划痕。

世界为我存在，我就是它的主人。

这个主人当得那么大，满心的情怀就一定特别大。

我知道这样的大哲学我们想象不出。

所以我们就可以读一读别人想出来的。

阅读的意思就是让我们拥有自己没有的。拥有了我们就明白了。我们就渐渐地也成为一本书，只要我们开口，只要我们写出自己的想法，那么立即就给了别人不小的喜悦，甚至给了世界很大的指点。

所以，如果我们遇见了一本好的书，也就应当想：这本书是为我存在！

《世界为谁存在？》是为我存在！

这样的每一天我们都会分外地兴致勃勃。

兴致勃勃地活很久才是真正地活。